Coatlicue

Madre del Sol, la Luna y las estrellas

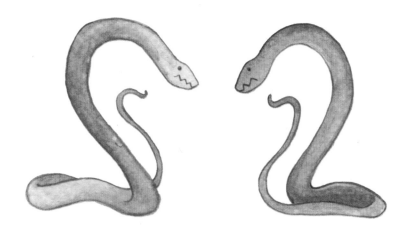

Mi nombre es Coatlicue, soy la que lleva puesta
la falda de serpientes, y esta es mi historia.

Hace muchos años, antes de que se creara el mundo que conocemos, cuando Teotihuacán era la tierra habitada por los dioses, yo era una diosa muy hermosa, poseedora de una belleza legendaria.

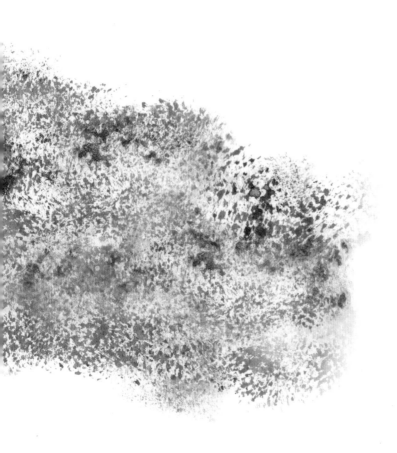

Nosotros, los dioses, teníamos misiones específicas. La mía era
poblar el cielo de astros. Decidida a cumplir el encargo divino,
me casé con Mixcóatl, hijo del Señor de la Creación. Tuvimos muchos
hijos, quienes se convertirían en astros. La primera en llegar fue
Coyolxauhqui, valiente y peleonera. Ella se volvió la Luna. Luego
vinieron más, muchos más. ¿Cuántos? ¡Cuatrocientos! Los llamamos
Centzonhuitznahuac, y ellos son las estrellas.

Yo pensaba que me quedaría junto a Mixcóatl hasta la eternidad, pero
las cosas no ocurrieron así; el amor entre nosotros terminó
de manera repentina. Me quedé sola y decidí ir al cerro de Coatepec
donde podría vivir tranquila. Me dediqué a barrer. Con mi escoba
en movimiento recorría todos los rincones y no había espacio
que dejara sin limpiar.

Pero en la vida ocurren imprevistos y, un día, mientras barría,
de las alturas vi caer una pequeña bolita de plumas.
Tenía algo especial, algo poderoso que llamó mi atención,
así que la tomé y la guardé cerca de mi pecho.

Pasó el tiempo y cuando intenté volver a tomarla, me llevé una sorpresa:
la bola de plumas había desaparecido. Como llegó, se fue.
La busqué por todos lados.

... pero no apareció. Me sentí desconsolada.

Un día descubrí que aquello que había caído del cielo no era una simple bola de plumas, sino que se trataba de algo divino que venía de las alturas. Era un hijo nuevo al que pronto daría a luz. Sería Huitzilopochtli, un dios muy poderoso.

La llegada de Huitzilopochtli hizo despertar en mis hijos muchos celos, pues temían que se convirtiera en mi consentido. Todos estaban furiosos, pero sin duda la más afectada era Coyolxauhqui, porque, vanidosa como era, tenía miedo de ser opacada por su nuevo hermano. Así que convenció a los demás para quejarse y alborotarse, todos juntos. Me dio tristeza ver que esto ocurría entre mis hijos.

Cuahuitlicac, otro de mis hijos, fue quien me advirtió:
"Mamá, mis hermanos están muy enojados y van a querer
pelearse con Huitzilopochtli". Sinceramente, me daba miedo
que las cosas se pusieran así. ¿Por qué tenían que pelear?
¡Imaginen lo que una batalla de tantos hermanos podría ser!

Pero Huitzilopochtli, desde lo más profundo, me habló
y dijo: "Mamá, no estés triste ni preocupada. Yo sé lo que tengo
que hacer". Me tranquilicé porque sus palabras
eran las de un auténtico guerrero.

Llegó el día en que vinieron mis hijos al cerro de Coatepec,
haciendo berrinches, todos con mala cara y muy escandalosos:
parecían niños chiquitos a los que les habían robado su juguete.

Cuando peor se estaban portando, justo en ese momento, nació Huitzilopochtli, completamente vestido como un guerrero, con su rostro pintado, un hermoso penacho en la cabeza, flechas y chimalli, un poderoso y resistente escudo.

También tenía un bastón en forma de serpiente, bañado con un hermoso color azul turquesa, al que llamaba xiuhcóatl.

Al verlo nacer, los hermanos
comenzaron a pelear con él.
Se daban pellizcos, mordidas, empujones
y hasta uno que otro moco se embarraron.
Era una batalla campal, horrenda, como
son todas las peleas entre hermanos. No
había duda de quién sería el vencedor:
el gran Huitzilopochtli los derrotó en
un santiamén. Era imposible que le
hubieran ganado, con todo y que eran
cuatrocientos contra uno.

A quien peor le fue: Coyolxauhqui. Ella, la organizadora
de la pelea, cayó del cerro y quedó hecha pedazos.
Ahora corría por todos lados buscando partes de su cuerpo.
Una pierna por aquí, una mano por allá, las orejas por acullá,
las uñas de los pies todas desperdigadas. Un verdadero horror.

Como pudo, regresó a ser la Luna
y a vivir en las alturas. Se quedó
triste y resignada porque su
hermanito, Huitzilopochtli, el que
los había derrotado a todos juntos,
sería el Sol, el astro más importante
y luminoso. Los cuatrocientos
Centzonhuitznahuac volvieron
al firmamento como estrellas.
Mis hijos se fueron a las alturas
y yo volví a quedarme sola.

Huitzilopochtli se volvió el dios favorito
de los mexicas; creo que porque era el dios de
la guerra y como los mexicas eran un grupo muy
peleonero y conquistaban a sus vecinos, mi hijo
siempre estaba muy ocupado, pendiente
de que las batallas fueran ganadas. No he vuelto
a tenerlo cerca en años y lo extraño mucho.

Un día vinieron a visitarme un grupo de chamanes que venían
de parte del emperador mexica Moctezuma. Querían conocer más
acerca de los antepasados de su dios favorito, mi hijo Huitzilopochtli.

Cuando acepté recibirlos ocurrió algo muy gracioso. Les ordené que subieran hasta la punta del cerro, en donde vivía yo, pero estos hombres no podían avanzar. Sus pies se enterraban en la arena y se hundían, como si estuvieran en arenas movedizas.

Decidí bajar y encontrarlos a la mitad del camino. Cuando los tuve enfrente les pregunté por mi hijo, a quien tanto extrañaba. Les dije que eran bienvenidos y que desde que Huitzilopochtli se había ido, vivía pensando en él y soñando con el día en que volvería a verlo.

Les conté que hacía tiempo no había lavado mi cara, peinado mi pelo o cambiado de ropa porque esa era mi manera de mostrar cuánta falta me hacía.

Ellos intentaron consolarme con regalos: hermosas mantas, plumas, cacao, algodón y piedras preciosas, pero para mí esas cosas no tenían valor alguno.

Les conté algo que podía ver en sus destinos: "Ustedes,
mexicas, son el pueblo más poderoso y por eso le han quitado
muchas tierras a otros pueblos. Un día vendrán unos extraños
que les harán lo mismo a ustedes ."

Les di una manta y un taparrabos llamado maxtlatl y les pedí que ofrecieran estas prendas a mi hijo, como un regalo de su madre. Nos despedimos y ellos regresaron a sus tierras, preocupados.

Sé que contaron a Moctezuma todo lo que les platiqué, y que él los escuchó con atención y, acto seguido, compartió el relato con su gente más cercana. Seguro lo hizo con algo de temor, porque mi profecía los asustó. Estoy segura de esto, porque a la distancia podían verse unas naves sobre el mar y venían hacia acá...

Después de la Conquista española me mudé una vez más. Ahora vivo en esta piedra que es muy grande; mide dos metros y medio de altura. Aquellos que quieran venir a saludarme, pueden hacerlo en el Museo Nacional de Antropología e Historia.

Afuera, en las alturas, se encuentran las estrellas,
el Sol y la Luna: mis hijos.

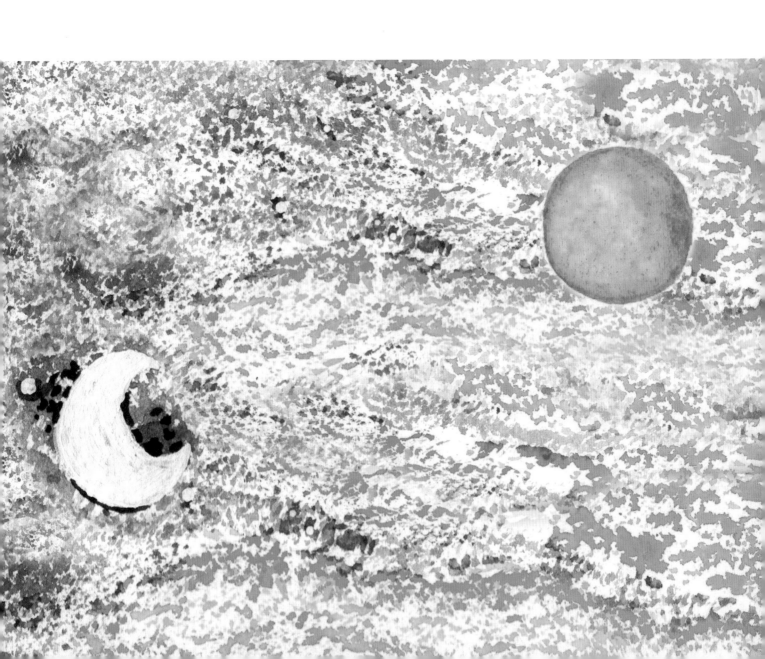

Me gusta pensar que por las noches, Coyolxauhqui y sus cuatrocientos hermanos, los Centzonhuitznahuac, conviven en armonía.

Y luego, cuando aparece el Sol, me reconforta saber que es el
gran Huitzilopochtli quien brilla y nos da su calor.

¿Se dan cuenta? No estoy sola.
En el día me acompaña el Sol; de noche, la Luna y las estrellas.
Realmente, como ustedes, soy afortunada de mirar
el espectáculo que ofrecen cada día mis queridos hijos.

Autor: **Juan Carlos Melgar Hernández**
Ilustraciones: **Sharon Judith Barcs Armada**
Dirección editorial: **Nathalie Armella Spitalier**
Asesoría editorial: **Pablo De María**
Asistente de redacción: **Natalia Ramos Garay**
Diseño editorial: **Berenice Ceja Juárez**

Coatlicue
Madre del Sol, la Luna y las estrellas

Tomo 2 de la colección *Axolotl*

Esta obra se terminó de editar en el mes de enero de 2014.

© CACCIANI, S.A. de C.V.
Prol. Calle 18 N° 254
Col. San Pedro de los Pinos
01180 México, D.F.
+52 (55) 5273 2397 / +52 (55) 5273 2229
contacto@fundacionarmella.org
www.fundacionarmella.org

ISBN: 978-607-8187-59-1

De la misma colección:

Hunahpú e Ixbalanqué
Los gemelos que crearon el tiempo

Varinia del Ángel y Mili

FC>S

Quetzalcóatl
Dios de dioses

César Gutiérrez y Ángel Campos

FC>S

Pakal y la Reina Roja
La memoria de los reyes

César Gutiérrez y Natalia Gurovich

FC>S

Tenochtitlan
El camino hacia un Imperio

Nathalie Armella y Adriana Campos

FC>S